Edición original: **OQO Editora**

© del texto	Javier Sobrino 2008
© de las ilustraciones	Elena Odriozola 2008
© de esta edición	OQO Editora 2008

Alemaña 72	36162 PONTEVEDRA
Tfno. 986 109 270	Fax 986 109 356
OQO@OQO.es	www.OQO.es

Diseño	Oqomania
Impresión	Tilgráfica

Primera edición	abril 2008
ISBN	978-84-9871-038-0
DL	PO 179-2008

Para Javier y Débora, amigos enamorados. **J. S.**

Javier Sobrino

Ilustraciones de **Elena Odriozola**

Un secreto del bosque

OQO EDITORA

En los bosques del Norte huele a mar,
los árboles ocultan tesoros,
las brumas esconden enigmas,
los vientos llevan mensajes
y los animales guardan secretos fascinantes.

Un día de primavera,
Ardilla bajó hambrienta de su roble
y buscó una despensa
que había llenado en otoño.

Cuando se disponía a comer,
lo vio descender de un abedul.
Parecía decidido y misterioso.

– Hola, Ardilla;
tengo un hambre de lobo.
¿Me das nueces?

Ardilla asintió,
sin dejar de observarlo.

Él aprovechó este silencio
y comió algunas nueces,
luego algunas más,
hasta que solo quedaron unas pocas.

– ¡Qué ricas!
Adiós y gracias
-dijo, y volvió al árbol.

Desde entonces
aparecía en los pensamientos de Ardilla
a todas horas.

Algo preocupada,
se acercó a la madriguera de su amigo Zorro
y le contó:

– **Nos conocimos hace unos días.**
   Parece amable, encantador
   y tiene una voz agradable.
   No sé qué me pasa,
   pero no se me va de la cabeza.

Zorro se quedó pensativo
y luego preguntó:

— **¿A que cuando piensas en él…**
   te pica la nariz?
   Lo que te pasa es que estás…
   -y le susurró al oído.

— **¿Qué? ¡No puede ser!** -exclamó Ardilla.

— **Sí, sí, así es.**
   Te daré un consejo zorruno: díselo.

— **¿Y cómo?**

— **Le regalas un ramo de lirios.**

— **¡Regalar flores!**
   ¡Vaya idea más curiosa!
   -contestó Ardilla.

Ardilla se sintió confusa.

Aquella tarde,
Búho se posó ante su nido y preguntó:

– **¿Qué te inquieta?**

Ardilla se lo contó,
y Búho preguntó de nuevo:

– **¿A que cuando piensas en él…
se te nubla la vista?
Eso me pasó a mí.
Te daré un consejo bubobubero:
díselo contemplando la luna
desde el acantilado.**

– **¿Qué?
¡Vaya idea más rara!**
-respondió Ardilla.

a

u u U u

A la mañana siguiente,
Ardilla bajó de su árbol
y vio a Lobo, que le dijo:

– **Ya sé lo que te preocupa.**
  ¿A que cuando piensas en él…
  se te va la voz?
  Eso me pasó a mí.
  Te daré un consejo lobuno:
  díselo aullando una canción.

– **¿Qué?**
  ¡Vaya idea más extraña!
  -protestó Ardilla.

Ardilla se fue al río.
Oyó un ruido y vio a Oso rascándose en un castaño.

– **Ardilla, me he enterado de tu problema.**
  ¿A que cuando piensas en él…
  se te pone el estómago
  como una piedra?
  Eso me pasó a mí.
  Te daré un consejo osado:
  díselo y le ofreces miel
  para merendar.

– ¿Qué?
¡Vaya idea más extravagante!
-exclamó Ardilla.

Ardilla siguió hacia el río
por los caminos del aire.
En la rama de un haya descubrió a Lirón.

– **Ya sé lo que te pasa.**
¿A que cuando piensas en él…
se te ponen los pelos de punta?
Eso me pasó a mí.
Te daré un consejo lirónico:
díselo y le haces una cama mullida.

– **¡Vaya idea más insólita!**
-dijo Ardilla.

– **Pero dime quién es…**
¿Lo conozco?

Zorro, Búho, Lobo y Oso se habían acercado
y escuchaban con curiosidad.

– ¿Quién es?
  -insistió Lirón.

Ardilla lo confesó en voz alta.

Lirón la miró con los ojos desorbitados y gritó:

– **¡Es imposible!…**
  ¿Y cuándo vais a dormir?

– **¡Es una barbaridad!…**
  ¿Y a qué vais a jugar? -rugió Oso.

– **¡Es una locura!…**
  ¿Y dónde vais a vivir? -aulló Lobo.

– **¡Es un disparate!…**
  ¿Y qué amigos vais a tener? -chilló Búho.

– **¡Es una bestialidad!…**
  ¿Y cómo será vuestra familia?
  -gruñó Zorro.

Ardilla se asustó y corrió al Pozo de las Nutrias.
Bajó a las rocas del río
y, cuando se disponía a beber,
escuchó una una voz conocida.

– **¡Hola, Ardilla!**

Su corazón se aceleró.
Llevaba varios días esperando
y temiendo aquel momento.
Ardilla sintió que le picaba la nariz,
se le nublaba la vista,
se le iba la voz,
el estómago se le ponía duro como una piedra
y los pelos se le erizaban.

– **Voy a pensar que no quieres hablar conmigo.**

Ardilla bajó la mirada
y quiso regalarle lirios,
pero allí no había;
quiso enseñarle la luna,
pero faltaba mucho para la noche;
quiso aullar, pero no sabía;
quiso ofrecerle miel,
pero las abejas le daban miedo;
quiso prepararle una cama mullida,
pero las hojas estaban mojadas…

Era tal su nerviosismo
que sólo acertó a taparse la cara con la cola.

– **Si no quieres verme… ¡me voy!**

Entonces Ardilla asomó la cabeza y dijo:

– ¡Espera! Estoy...

Y el viento le llevó sus palabras.

Él regresó.
Con cuidado,
retiró la cola que cubría el rostro de Ardilla
y susurró:

**– ¡Qué bonita estás cuando te pones colorada!
   Ven, vamos a buscar fresas…**

Un secreto del bosque dejó de serlo.
Recorrió todos sus rincones
con el canto del urogallo,
el trino del mirlo
y hasta el viento se lo dijo al mar.

Y cuentan los petirrojos
que, con la llegada del otoño,
Ardilla y Pájaro Carpintero
hicieron juntos un nido en la vieja encina.